TIMES 500 CHINESE WORDS FOR CHILDREN

时代儿童

500词

BILINGUAL EDITION

德兴　绘图

earlybird books

An imprint of Times Media

EARLYBIRD BOOKS
An imprint of Times Media Private Limited
A member of the Times Publishing Group
Times Centre, 1 New Industrial Road, Singapore 536196
E-mail: fps@tpl.com.sg
Online Book Store: http://www.timesone.com.sg/te

First published   1988
Reprinted   1989 (twice), 1990 (twice), 1991 (twice),
                   1992 (twice). 1993, 1994, 1995 (twice),
                   1996, 1997, 1999, 2000

ISBN 981 01 1005 7

Dicetak oleh
Percetakan Rina Sdn. Bhd. (31964-X)
No. 45, Persiaran Mewah,
Bandar Tun Razak, Cheras,
56000 Kuala Lumpur.

目录
Contents

身体 Body

头 head
tóu

脸 face
liǎn

眼睛 eyes
yǎn jing

口 mouth
kǒu

手 hands
shǒu

鼻子 nose
bí zi

手指 finger
shǒu zhǐ

牙齿
yá chǐ
teeth

脚 leg
jiǎo

耳朵 ear
ěr duo

头发 hair
tóu fa

脚趾 toes
jiǎo zhǐ

4

我的一家 My family

妹妹
mèi mei
younger sister

妈妈 mother
mā ma

哥哥
gē ge
elder brother

爸爸 father
bà ba

姐姐 elder sister
jiě jie

弟弟
dì di
younger brother

婆婆 grandmother
pó po

我 I
wǒ

公公 grandfather
gōng gong

我住的屋子
My house

睡房 bedroom
shuì fáng

衣架
yī jià
clothes-hanger

镜子
jìng zi
mirror

花瓶
huā píng
vase

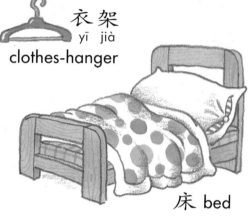

床 bed
chuáng

客厅 living room
kè tīng

时钟 clock
shí zhōng

画 picture
huà

门
mén
door

电话
diàn huà
telephone

沙发 sofa
shā fā

饭厅 dining room
fàn tīng

椅子 chair
yǐ zi

桌子 table
zhuō zi

雨伞
yǔ sǎn
umbrella

扫把 broom
sào bǎ

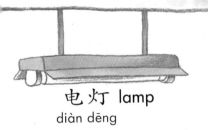

电灯 lamp
diàn dēng

冲凉房
chōng liáng fáng
bathroom

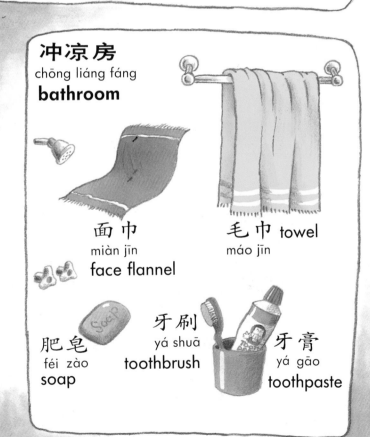

面巾
miàn jīn
face flannel

毛巾 towel
máo jīn

肥皂
féi zào
soap

牙刷
yá shuā
toothbrush

牙膏
yá gāo
toothpaste

电视机
diàn shì jī
television

我的睡房
My bedroom

玩具 toy
wán jù

洋娃娃 doll
yáng wá wa

衣橱 wardrobe
yī chú

气球
qì qiú
balloons

日历 calendar
rì lì

闹钟
nào zhōng
alarm clock

球拍
qiú pāi
racket

梳子
shū zi
comb

枕头
zhěn tou
pillow

被 blanket
bèi

风扇 fan
fēng shàn

8

我的书房 My study

字典 dictionary
zì diǎn

书架 bookcase
shū jià

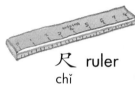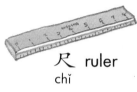

尺 ruler
chǐ

簿子
bù zi
exercise book

笔 pens
bǐ

彩色笔
cǎi sè bǐ
colour pencils

书包 school bag
shū bāo

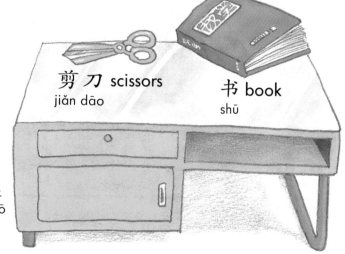

剪刀 scissors
jiǎn dāo

书 book
shū

书桌
shū zhuō
desk

9

我的厨房
My kitchen

烧水壶 kettle
shāo shuǐ hú

茶壶 teapot
chá hú

杯 glass
bēi

热水瓶
rè shuǐ píng
thermos flask

碟 plate
dié

碗 bowl
wǎn

汤匙 spoon
tāng chí

冰箱 refrigerator
bīng xiāng

筷子
kuài zi
chopsticks

刀 knife
dāo

叉 fork
chā

锅 pot
guō

烤炉 oven
kǎo lú

烘面包机
hōng miàn bāo jī
toaster

水瓶 jug
shuǐ píng

篮子 basket
lán zi

刷子 brush
shuā zi

桶 pail
tǒng

我的学校 My school

球场 court
qiú chǎng

食堂 tuckshop
shí táng

美术室 art room
měi shù shì

礼堂 school hall
lǐ táng

运动场 field
yùn dòng chǎng

课室 classroom
kè shì

地图
dì tú
map

黑板 blackboard
hēi bǎn

黑板擦 duster
hēi bǎn cā

粉笔
fěn bǐ
chalk

同学
tóng xué
classmates

课本 textbooks
kè běn

老师 teacher
lǎo shī

校长室 principal's office
xiào zhǎng shì

音乐室 music room
yīn yuè shì

13

我的一天
A day in my life

早上 in the morning
zǎo shang

起身 getting up
qǐ shēn

吃早餐 chī zǎo cān
having breakfast

中午
zhōng wǔ
in the afternoon

上学 going to school
shàng xué

吃午餐 eating lunch
chī wǔ cān

做功课
zuò gōng kè
doing homework

游戏 playing games
yóu xì

冲凉 bathing
chōng liáng

傍晚 in the evening
bàng wǎn

吃晚餐 eating dinner
chī wǎn cān

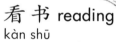

看书 reading
kàn shū

晚上 at night
wǎn shang

看电视 watching television
kàn diàn shì

睡觉 going to bed
shuì jiào

15

我爱吃的东西
My favourite foods

开水 water
kāi shuǐ

雪糕
xuě gāo
ice cream

果汁
guǒ zhī
fruit juice

汽水
qì shuǐ
soft drink

牛奶 milk
niú nǎi

饼干 biscuits
bǐng gān

牛油 butter
niú yóu

包子 bun
bāo zi

月饼 moon cake
yuè bing

面包 bread
miàn bāo

蛋糕 cake
dàn gāo

汉堡包 hamburger
hàn bǎo bāo

糖果 sweets
táng guǒ

花生 groundnuts
huā shēng

鸡 chicken
jī

肉 meat
ròu

鱼 fish
yú

蛋 egg
dàn

菜 vegetables
cài

虾 prawn
xiā

饭 rice
fàn

面 noodles
miàn

汤 soup
tāng

好吃的水果
Fruits

苹 果 apple
píng guǒ

羊 桃 star-fruit
yáng táo

桔 子 tangerine
jú zi

荔 枝 lychees
lì zhī

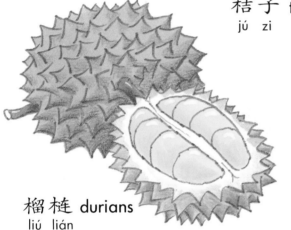

榴 槤 durians
liú lián

山 竹 mangosteens
shān zhú

梨 pears
lí

红 毛 丹 rambutans
hóng máo dān

香 蕉 bananas
xiāng jiāo

葡萄 grapes
pú tao

椰子 coconuts
yē zi

凤梨 pineapple
fèng lí

桃 peach
táo

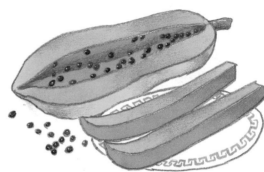

木瓜 papayas
mù guā

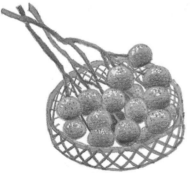

龙眼 longans
lóng yǎn

芒果 mango
máng guǒ

橙 oranges
chén

西瓜 watermelon
xī guā

多运动身体好 Sports

保龄球
bǎo líng qiú
bowling

跳高 high jump
tiào gāo

排球 volley ball
pái qiú

举重 weight lifting
jǔ zhòng

体操 gymnastics
tǐ cāo

跑步 jogging
pǎo bù

水球 water polo
shuǐ qiú

篮球 basketball
lán qiú

20

羽毛球 badminton
yǔ máo qiú

跳远 long jump
tiào yuǎn

接力 relay
jiē lì

网球 tennis
wǎng qiú

早操 morning exercises
zǎo cāo

乒乓球 table tennis
pīng pāng qiú

游泳 swimming
yóu yǒng

足球 soccer
zú qiú

21

活动和爱好
Hobbies

手工 building a model
shǒu gōng

跳绳
tiào shéng
skipping

唱歌 singing
chàng gē

养鱼 keeping fish
yǎng yú

画画 drawing
huà huà

踏脚车 cycling
tà jiǎo chē

看书 reading
kàn shū

野餐 picnicking
yě cān

种花
zhòng huā
gardening

跳舞
tiào wǔ
dancing

钓鱼 fishing
diào yú

放风筝 flying a kite
fàng fēng zheng

爬山
pá shān

mountaineering

穿戴的衣物 Things we wear or use

睡衣 pyjamas
shuì yī

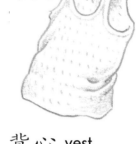

背心 vest
bèi xīn

上衣 shirt
shàng yī

外套 jacket
wài tào

游泳裤
yóu yǒng kù
swimming trunks

短裤
duǎn kù
shorts

长裤 trousers
cháng kù

领带 tie
lǐng dài

帽子 cap
mào zi

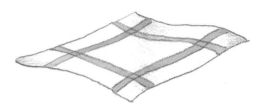

手巾 handkerchief
shǒu jin

皮带 belt
pí dài

眼镜 spectacles
yǎn jìng

手套 gloves
shǒu tào

手表 watch
shǒu biǎo

袜子 socks
wà zi

太阳眼镜
tài yáng yǎn jìng
sunglasses

皮鞋 shoes
pí xié

凉鞋 slippers
liáng xié

运动鞋 sports shoes
yùn dòng xié

25

钱包 purse
qián bāo

手提袋 handbag
shǒu tí dài

游泳衣
yóu yǒng yī
swimsuit

校服 school uniform
xiào fú

头巾 scarf
tóu jīn

裙子 skirt
qún zi

围裙 apron
wéi qún

雨衣 raincoat
yǔ yī

花草树木 Plants

花 flowers
huā

果子 fruit
guǒ zi

种子 seeds
zhǒng zi

树枝 branch
shù zhī

树叶 leaf
shù yè

树干
shù gàn
trunk

树根 root
shù gēn

水草 seaweeds
shuǐ cǎo

树 tree
shù

草 grass
cǎo

动物和飞虫
Animals and insects

苍蝇 fly
cāng yíng

甲虫
jiǎ chóng
ladybird

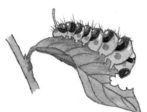
毛虫
máo chóng
caterpillar

蚂蚁 ant
mǎ yǐ

蚊子
wén zi
mosquito

蜜蜂 bee
mì fēng

蝴蝶
hú dié
butterfly

蟑螂
zhāng láng
cockroach

老鼠 mouse
lǎo shǔ

鸟 bird
niǎo

鸭 duck
yā

鸡 hen
jī

狗 dog
gǒu

兔 rabbit
tù

牛 cow
niú

乌龟 tortoise
wū guī

鱼 fish
yú

羊 sheep
yáng

蝌蚪
kē dǒu
tadpole

青蛙 frog
qīng wā

猫 cat
māo

猴 monkey
hóu

水牛 water buffalo
shuǐ niú

猪 pig
zhū

马 horse
mǎ

斑马
bān mǎ
zebra

骆驼
luò tuo
camel

29

狐狸 fox
hú li

犀牛 rhinoceros
xī niú

狮子 lion
shī zi

狼 wolf
láng

蛇 snake
shé

熊猫 panda
xióng māo

老虎 tiger
lǎo hǔ

鹿 deer
lù

30

熊 bear
xióng

象 elephant
xiàng

袋鼠 kangaroo
dài shǔ

长颈鹿 giraffe
cháng jǐng lù

豹 leopard
bào

河马 hippopotamus
hé mǎ

猩猩 gorilla
xīng xing

交通工具 Transport

火车 train
huǒ chē

巴士 bus
bā shì

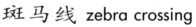

斑马线 zebra crossing
bān mǎ xiàn

三轮车 tricycle
sān lún chē

轮船 ship
lún chuán

汽车 car
qì chē

天桥 overhead bridge
tiān qiáo

马路 road
mǎ lù

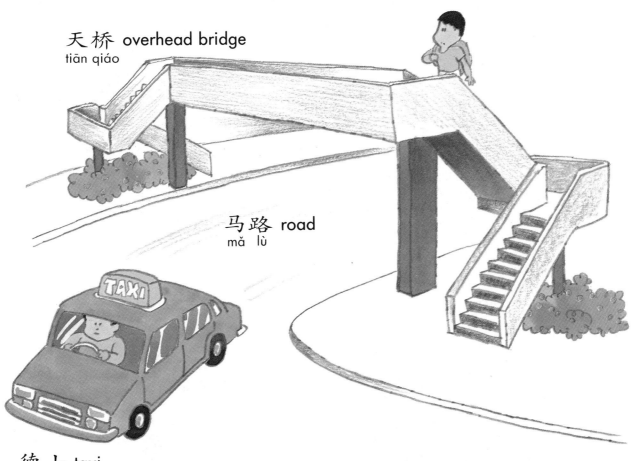

德士 taxi
dé shì

脚踏车 bicycle
jiǎo tà chē

救火车 fire engine
jiù huǒ chē

救伤车 ambulance
jiù shāng chē

飞机 aeroplane
fēi jī

直升机 helicopter
zhí shēng jī

货车 van
huò chē

交通灯 traffic lights
jiāo tōng dēng

地铁 MRT (Mass Rapid Transit)
dì tiě

你认识他们吗？Jobs

厨师
chú shī
cook

水手
shuǐ shǒu
sailor

太空人 astronaut
tài kōng rén

渔夫 fisherman
yú fū

交通警察
jiāo tōng jǐng chá
traffic police

魔术师
mó shù shī
magician

医生 doctor
yī shēng

司机 driver
sī jī

画家 artist
huà jiā

护士 nurse
hù shi

歌唱家
gē chàng jiā
singer

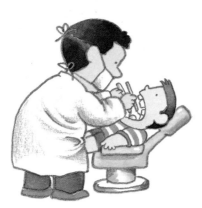

牙医 dentist
yá yī

小丑 clown
xiǎo chǒu

邮差 postman
yóu chāi

警察 policeman
jǐng chá

运动员 sportsman
yùn dòng yuán

小贩 hawker
xiǎo fàn

飞机师 pilot
fēi jī shī

理发师 barber
lǐ fà shī

救火员 fireman
jiù huǒ yuán

教师 teacher
jiào shī

农夫 farmer
nóng fū

船长
chuán zhǎng
captain

打字员 typist
dǎ zì yuán

兵士 soldier
bīng shì

这是什么地方？
Places

海边 beach
hǎi biān

警察局 police station
jǐng chá jú

理发院 barber shop
lǐ fà yuàn

旅店 hotel
lǚ diàn

快餐店 fastfood restaurant
kuài cān diàn

戏院 cinema
xì yuàn

公园 park
gōng yuán

工厂 factory
gōng chǎng

游乐场 amusement park
yóu lè chǎng

菜市场 market
cài shì chǎng

飞机场 airport
fēi jī chǎng

救火局 fire station
jiù huǒ jú

餐馆 restaurant
cān guǎn

39

游泳池 swimming pool
yóu yǒng chí

邮政局 post office
yóu zhèng jú

学校 school
xué xiào

银行 bank
yín háng

巴士车站
bā shì chē zhàn
bus stop

地铁站 MRT station
dì tiě zhàn

火车站 railway station
huǒ chē zhàn

图书馆 library
tú shū guǎn

百货公司 shopping centre
bǎi huò gōng sī

医院 hospital
yī yuàn

书局 bookshop
shū jú

动物园 zoo
dòng wù yuán

好听的音乐哪里来？
Musical instruments

小提琴
xiǎo tí qín
violin

鼓 drum
gǔ

吉他 guitar
jí   tā

口琴 harmonica
kǒu qín

铃鼓
líng gǔ
tambourin

钢琴 **piano**
gāng qín

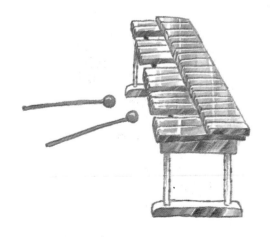

木琴 xylophone
mù qín

箫 bamboo flute
xiāo

喇叭 trumpet
lǎ ba

大提琴 cello
dà tí qín

笛子 bamboo flute
dí zi

风琴 organ
fēng qín

电子吉他
diàn zǐ jí tā
electric guitar

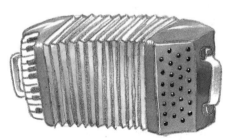

手风琴 accordion
shǒu fēng qín

常见的动作 Things we do

抱 carry
bào

坐 sit
zuò

站 stand
zhàn

爬 crawl
pá

喝水 drink
hē shuǐ

吹 blow
chuī

吃东西 eat
chī dōng xi

笑 laugh
xiào

哭 cry
kū

唱歌 sing
chàng gē

睡觉 sleep
shuì jiào

起身 get up
qǐ shēn

刷牙 brush
shuā yá

穿衣 dress
chuān yī

想 think
xiǎng

跳 jump
tiào

走 walk
zǒu

跑 run
pǎo

停 stop
tíng

读书 read
dú shū

写字 write
xiě zì

画画 draw
huà huà

学 learn
xué

等候 wait
děng hòu

教 teach
jiāo

追 chase
zhuī

咬 bite
yǎo

浇花 water
jiāo huā

种树 plant
zhòng shù

买 buy
mǎi

卖 sell
mài

打扫 clean
dǎ sǎo

躲 hide
duǒ

出 exit
chū

进 enter
jìn

排队 line up
pái duì

逃 run away
táo

包 wrap
bāo

举起 lift
jǔ qǐ

打电话 telephone
dǎ diàn huà

拿 take
ná

指 point
zhǐ

拍手 clap
pāi shǒu

扫地 sweep
sǎo dì

拾 pick up
shí

捉 catch
zhuō

48

骑木马 ride
qí mù mǎ

游戏 play
yóu xì

玩 play
wán

去 go
qù

来 come
lái

洗手 wash
xǐ shǒu

跌倒 fall
diē dǎo

听 listen
tīng

拖 pull
tuō

吓 frighten
xià

游泳 swim
yóu yǒng

关 门 close
guān mén

打开 open
dǎ kāi

猜 guess
cāi

踢球 kick
tī qiú

说话 talk
shuō huà

倒掉 throw away
dào diào

找 look for
zhǎo

50

开车 drive
kāi chē

丢 throw
diū

骂 scold
mà

打破
dǎ pò
break

推 push
tuī

拉 pull
lā

打架 fight
dǎ jià

吵架 quarrel
chǎo jià

给 give
gěi

分 distribute
fēn

有趣的相对词
Describing words

大 big
dà

小 small
xiǎo

后 behind
hòu

前 in front of
qián

左 left
zuǒ

右 right
yòu

好 good
hǎo

坏 broken
huài

起 up
qǐ

落 down
luò

重 heavy
zhòng

轻 light
qīng

胖 fat
pàng

瘦 thin
shòu

方 square
fāng

圆 round
yuán

干 dry
gān

湿 wet
shī

对 right
duì

错 wrong
cuò

晚 late
wǎn

早 early
zǎo

长 long
cháng

短 short
duǎn

慢 slow
màn

快 fast
kuài

多 many
duō

少 few
shǎo

高 tall
gāo

矮 short
ǎi

高 high
gāo

干净 clean
gān jìng

肮脏 dirty
āng zang

低 low
dī

香 fragrant
xiāng

臭 smelly
chòu

冷 cold
lěng

热 hot
rè

黑暗 dark
hēi àn

明亮 bright
míng liàng

上 above
shàng

新 new
xīn

旧 old
jiù

下 below
xià

生 alive
shēng

死 dead
sǐ

远 far
yuǎn

近 near
jìn

数一数 Numbers

一个气球
yí gè qì qiú
one balloon

两只老鼠 two mice
liǎng zhī lǎo shǔ

三条鱼
sān tiáo yú
three fish

四包牛奶
sì bāo niú nǎi
four packets of milk

五本故事书
wǔ běn gù shi shū
five story books

六把雨伞
liù bǎ yǔ sǎn
six umbrellas

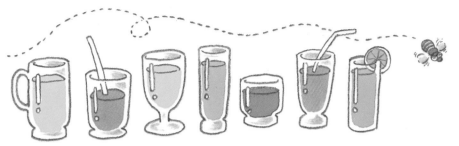

七杯果汁 seven glasses of fruit juice
qī bēi guǒ zhī

八面旗 eight flags
bá miàn qí

九朵花 nine flowers
jiǔ duǒ huā

十棵菜 ten vegetables
shí kē cài

美丽的颜色 Colours

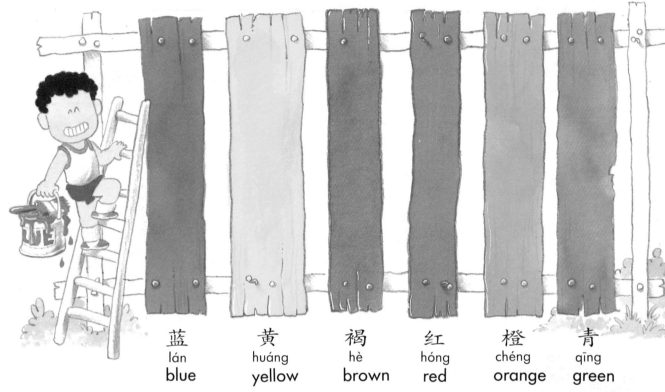

蓝
lán
blue

黄
huáng
yellow

褐
hè
brown

红
hóng
red

橙
chéng
orange

青
qīng
green

紫 purple
zǐ

白 white
bái

黑 black
hēi

一个星期有七天
Days of the week

星期一
xīng qī yī
Monday

星期二
xīng qī èr
Tuesday

星期三
xīng qī sān
Wednesday

星期四
xīng qī sì
Thursday

星期五
xīng qī wǔ
Friday

星期六
xīng qī liù
Saturday

星期日
xīng qī rì
Sunday

十二个月是一年
Months of the year

一月 January
yí yuè

二月 February
èr yuè

三月 March
sān yuè

四月 April
sì yuè

五月 May
wǔ yuè

六月 June
liù yuè

七月 July
qī yuè

八月 August
bá yuè

九月 September
jiǔ yuè

十月 October
shí yuè

十一月 November
shí yī yuè

十二月 December
shí èr yuè

今天的天气好吗？
Weather

晴天 sunny
qíng tiān

阴天 cloudy
yīn tiān

雨天 rainy
yǔ tiān

闪电
shǎn diàn
lightning

打雷 thundering
dǎ léi

自然现象 Nature

太阳 sun
tài yáng

山 mountain
shān

天 sky
tiān

地 earth
dì

河 river
hé

星星 stars
xīng xing

月亮 moon
yuè liang

云 cloud
yún

雨 rain
yǔ

风 wind
fēng

海 sea
hǎi

节日和庆典
Festivals and occasions

教师节 Teachers' Day
jiào shī jié

新年 New Year
xīn nián

生日 Birthday
shēng ri

国庆日 National Day
guó qìng rì

母亲节 Mothers' Day
mǔ qīn jié

圣诞节 Christmas Day
shèng dàn jié

父亲节 Fathers' Day
fù qīn jié

儿童节 Children's Day
ér tóng jié

中秋节 Mid-autumn Festival
zhōng qiū jié

趣味游戏

游戏 1

把爸爸、妈妈和你的样子画在空白的地方。

游戏 2

他们在做什么呢？你只要把图中的虚线画成实线，再填上颜色就知道了。

游戏 3

你知道他们要去哪里吗？请用不同颜色的脚印，把他们带到他们想去的地方吧！

游戏 4

运动场上少了什么东西呢？小朋友快把少了的东西画上去，再填上颜色好吗？

游戏 5

谁是小宝宝的妈妈？你只要用不同的颜色笔，画出图中每一条线，就可以找出它们的妈妈了。

游戏 6

图中的昆虫和动物谁是好的？谁是坏的？小朋友好好想一想，好的给它画个☆，坏的就打个×吧！

游戏 7

图上少了什么？小朋友自己动手画一画，再填上自己喜欢的颜色吧！

一个小孩

两面旗

四包米

三条鱼

五把雨伞

六棵菜

七只老鼠

八本书

九杯果汁

十朵花

游戏 8

把图中的东西，画在各个有关节日或庆典旁的空格中。

生日

新年

中秋节

圣诞节